KATJA KÖNIGSBERG

DAS GESPENST AUF DEM DACHBODEN

MIT BILDERN VON JAN LIEFFERING

RAVENSBURGER BUCHVERLAG

Bibliografische Information der Deutschen Nationalbibliothek:

Die Deutsche Nationalbibliothek verzeichnet diese Publikation
in der Deutschen Nationalbibliografie.
Detaillierte bibliografische Daten sind im Internet
über http://dnb.d-nb.de abrufbar.

9 16

Ravensburger Leserabe
Ausgabe in Großbuchstaben

Postfach 18 60, 88188 Ravensburg
Umschlagbild: Jan Lieffering
Konzept Leserätsel: Dr. Birgitta Reddig-Korn
Design Leserätsel: Sabine Reddig
Printed in Germany
ISBN 978-3-473-36368-1

www.ravensburger.de
www.leserabe.de

INHALT

TEDDY IST WEG!

DAS IST PAULA.

HEUTE IST SIE TRAURIG,

WEIL TEDDY VERSCHWUNDEN IST.

SONST SITZT TEDDY AUF DEM STUHL

NEBEN PAULAS BETT.

DOCH JETZT IST DER STUHL LEER.

PAULA SUCHT ÜBERALL NACH TEDDY.
SIE GUCKT UNTER IHR BETT
UND IN DIE KOMMODE.

UNTER DEM TISCH IST ER NICHT.
HINTER DEM VORHANG AUCH NICHT.

PAULA SUCHT IM GANZEN HAUS.

ABER SIE FINDET TEDDY NICHT.

DAS IST MAMA. SIE STEHT AM HERD
UND LEGT EINEN FISCH IN DIE PFANNE.

PAULA LÄUFT HIN UND FRAGT:
„HAST DU TEDDY GESEHEN?“
ABER MAMA SCHÜTTELT DEN KOPF.

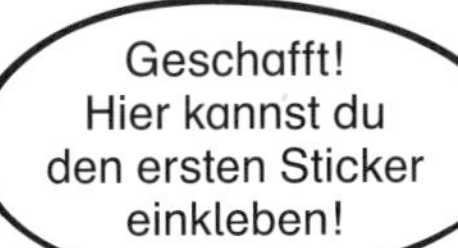

DAS IST PAPA. ER SITZT AM TISCH, SCHÄLT KARTOFFELN UND PUTZT SALAT.

Kapitel 1

PAULA LÄUFT HIN UND FRAGT:
„HAST DU TEDDY GESEHEN?“
ABER AUCH PAPA SCHÜTTELT DEN KOPF.

AUF DEM DACHBODEN

PAULA STEIGT TRAURIG
ZUM DACHBODEN HINAUF.
HUH, DA IST ES DUNKEL!

UNTER DEM FENSTER STEHT EINE TRUHE,

AUF DER WÄSCHELEINE

TROCKNEN HEMDEN UND HOSEN.

PAULA SUCHT ÜBERALL.

ABER TEDDY FINDET SIE NICHT.

DOCH WAS SIEHT PAULA DORT HINTEN
NEBEN DEM GROSSEN SCHRANK?

EIN WEISSES HEMD?

OH NEIN, ES IST EIN GESPENST!

PAULA ZITTERT.

IHRE ZÄHNE KLAPPERN.

IHR HERZ KLOPFT WIE WILD.

ZÖGERND SETZT SIE
EINEN FUSS VOR DEN ANDEREN.

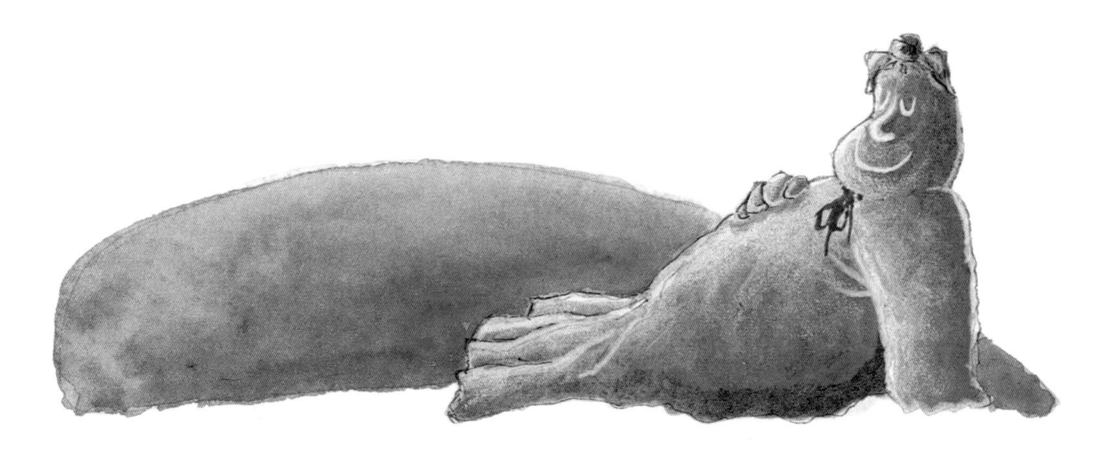

DAS GESPENST SCHEINT ZU SCHLAFEN.
SEINE AUGEN SIND ZU.

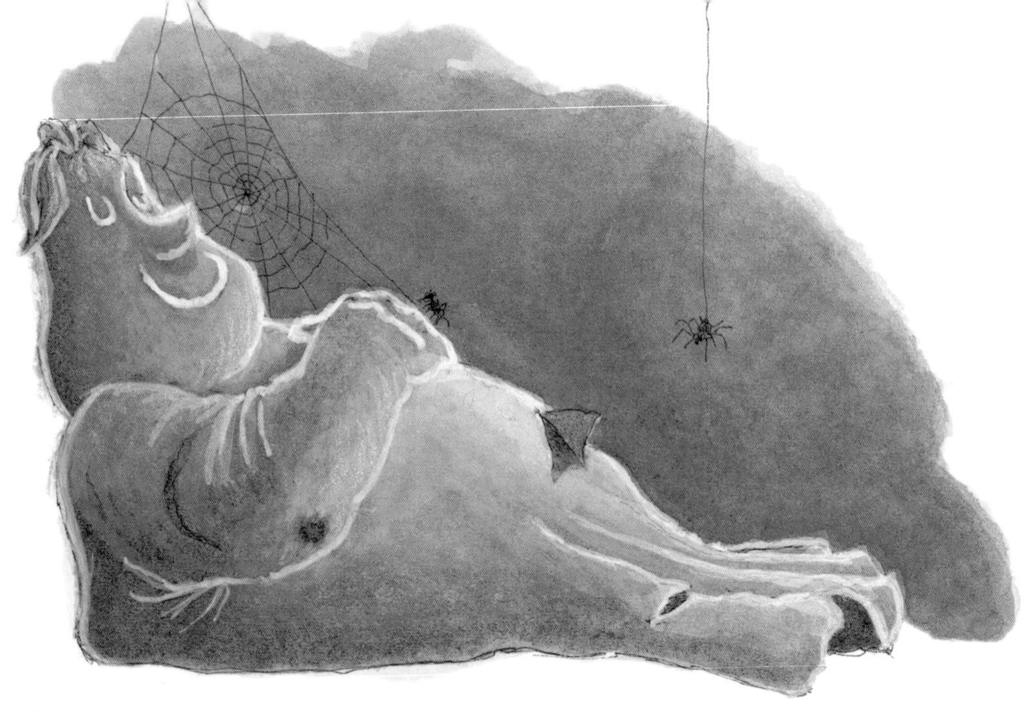

OH WEH, DAS ARME GESPENST!

ES IST ZERRISSEN

UND VOLLER SPINNWEBEN.

PAULA NIMMT ES AUF DEN ARM

UND TRÄGT ES DIE TREPPE HINAB.

SIE HOLT NADEL UND FADEN

UND FLICKT DAS GESPENST.

DANN KOMMT DAS GESPENST
INS WASCHBECKEN.

PAULA WÄSCHT ES GRÜNDLICH
MIT WASSER UND SEIFE.
NUN IST DAS GESPENST
SO WEISS WIE SCHNEE.

PAULA SCHLEICHT NACH OBEN
UND HÄNGT DAS GESPENST
AUF DIE LEINE.

Kapitel 2

GEISTERSTUNDE

NACHTS LIEGT PAULA IM BETT.

SIE SORGT SICH UM TEDDY.

SIE DENKT AN DAS GESPENST

AUF DEM DACHBODEN.

IM HAUS IST ES GANZ STILL.
DA SCHLÄGT DIE TURMUHR ZWÖLF.
GEISTERSTUNDE!

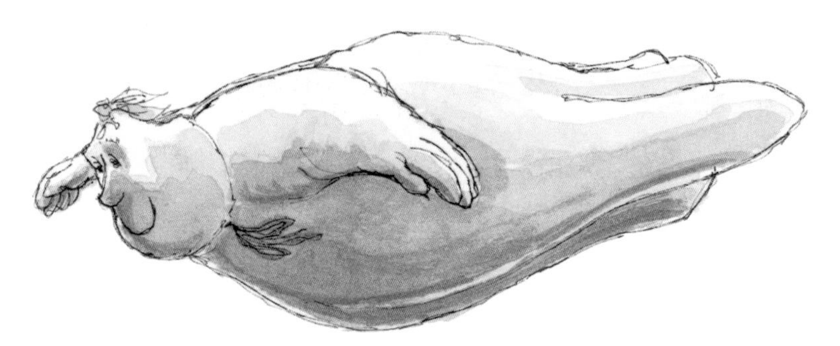

DAS GESPENST SCHWEBT
VON DER WÄSCHELEINE HERAB.
ES HUSCHT DIE TREPPE HINAB
ZU PAULA ANS BETT.

„HALLO, PAULA!“, SAGT DAS GESPENST.
„DANKE FÜR NADEL UND FADEN,
FÜR WASSER UND SEIFE.

ZUR GEISTERSTUNDE

SPUKE ICH NUN DURCHS HAUS.

SCHLÜPF AUS DEM BETT UND SCHAU ZU.“

PAULA GEHORCHT. DAS GESPENST
SCHWEBT ZUM BÜCHERREGAL
UND HOLT ALLE BÜCHER HERAUS.

ES TRÄGT SIE INS BADEZIMMER
UND PACKT SIE IN DIE BADEWANNE.

ES NIMMT DIE ZAHNBÜRSTEN
UND STECKT SIE IN DIE BLUMENVASE.

PAULA MACHT GROSSE AUGEN.
NUN STELLT DAS GESPENST
DIE SCHUHE VON MAMA
IN DEN KÜHLSCHRANK.

DIE KRAWATTE VON PAPA HÄNGT ES
AN DIE LAMPE.

DEN RUCKSACK VON PAULA STOPFT ES
IN DEN BACKOFEN.

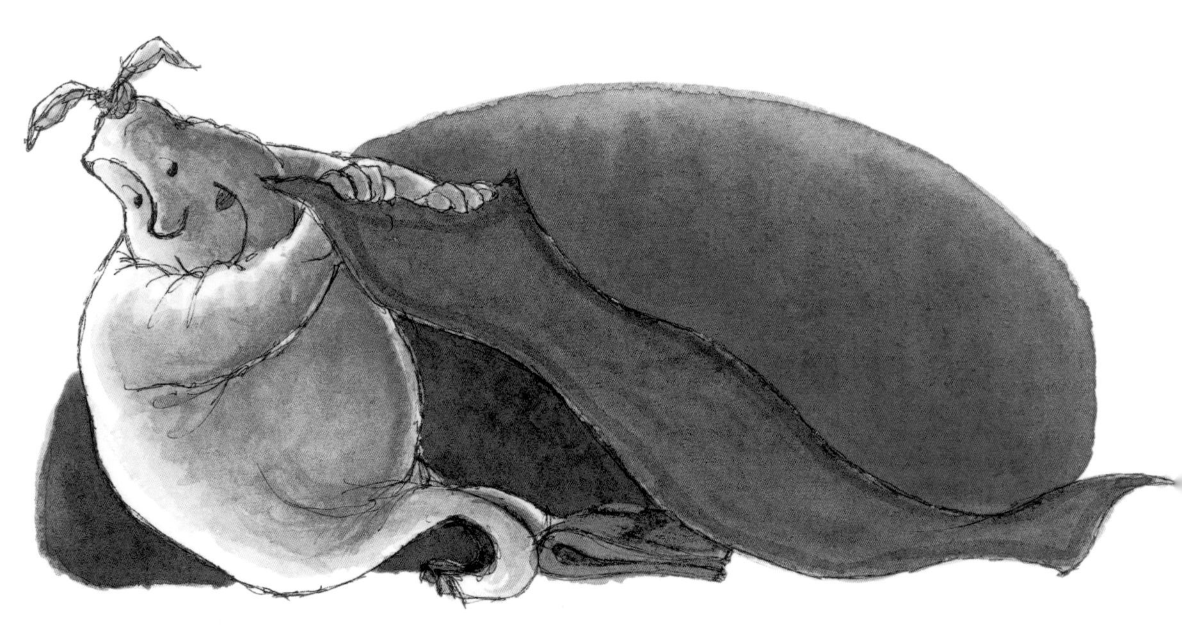

DIE ZEITUNG SCHIEBT ES
UNTER DEN TEPPICH.

PAULA RAUFT SICH DIE HAARE.
ACH, WÄRE DAS GESPENST NUR
AUF DEM DACHBODEN GEBLIEBEN!

JETZT SCHWEBT DAS GESPENST
EINFACH DURCH DAS FENSTER
UND SCHLEPPT DIE MÜLLTONNE HEREIN.
ES STELLT SIE NEBEN DEN FERNSEHER.

ERSCHROCKEN RUFT PAULA:
„WAS WERDEN PAPA UND MAMA
DAZU SAGEN?“

DAS GESPENST KICHERT.
PAULA SCHÜTTELT DEN KOPF
UND SETZT SICH AUFS SOFA.

DAS GESPENST NIMMT EIN BILD
VON DER WAND UND BLICKT SICH UM.

„FÜSSE HOCH!“, SAGT ES.
PAULA GEHORCHT.

ABER DAS BILD PASST NICHT

UNTER DAS SOFA.

UNTER DEM SOFA LIEGT WAS.

DAS GESPENST STRECKT DEN ARM AUS
UND ZIEHT ETWAS
UNTER DEM SOFA HERVOR.

PAULA REISST DIE AUGEN AUF.

SIE KLATSCHT IN DIE HÄNDE.

„HURRA, TEDDY IST WIEDER DA!“

DAS GESPENST KLEMMT TEDDY UNTER DEN ARM UND SCHWEBT AN PAULA VORBEI.

„KOMM MIT, PAULA!“, RUFT ES. „TEDDY GEHÖRT AUF DEN STUHL NEBEN DEINEM BETT.“

ENDLICH SITZT TEDDY
WIEDER AUF SEINEM STUHL!

Kapitel 3

PAULA STRAHLT.
UND TEDDY NATÜRLICH AUCH.

EIN BETT FÜR DAS GESPENST

DRAUSSEN SCHLÄGT DIE UHR EINS.
„ICH WILL JETZT INS BETT!“,
SAGT DAS GESPENST.

ABER PAULA SCHÜTTELT DEN KOPF.
„ERST RÄUMST DU DAS HAUS AUF!“
SEUFZEND GEHORCHT DAS GESPENST.

ALS DIE STERNE VERBLASSEN,
BRINGEN PAULA UND TEDDY
DAS GESPENST AUF DEN DACHBODEN.

PAULA MACHT AUS DER TRUHE
EIN GEMÜTLICHES BETT.

DAS GESPENST KUSCHELT SICH
ZUFRIEDEN ZWISCHEN DIE KISSEN
UND UNTER DIE DECKE.

AUF ZEHENSPITZEN SCHLEICHEN PAULA
UND TEDDY DIE TREPPE HINUNTER.

AUCH PAULA UND TEDDY
SCHLÜPFEN INS BETT.

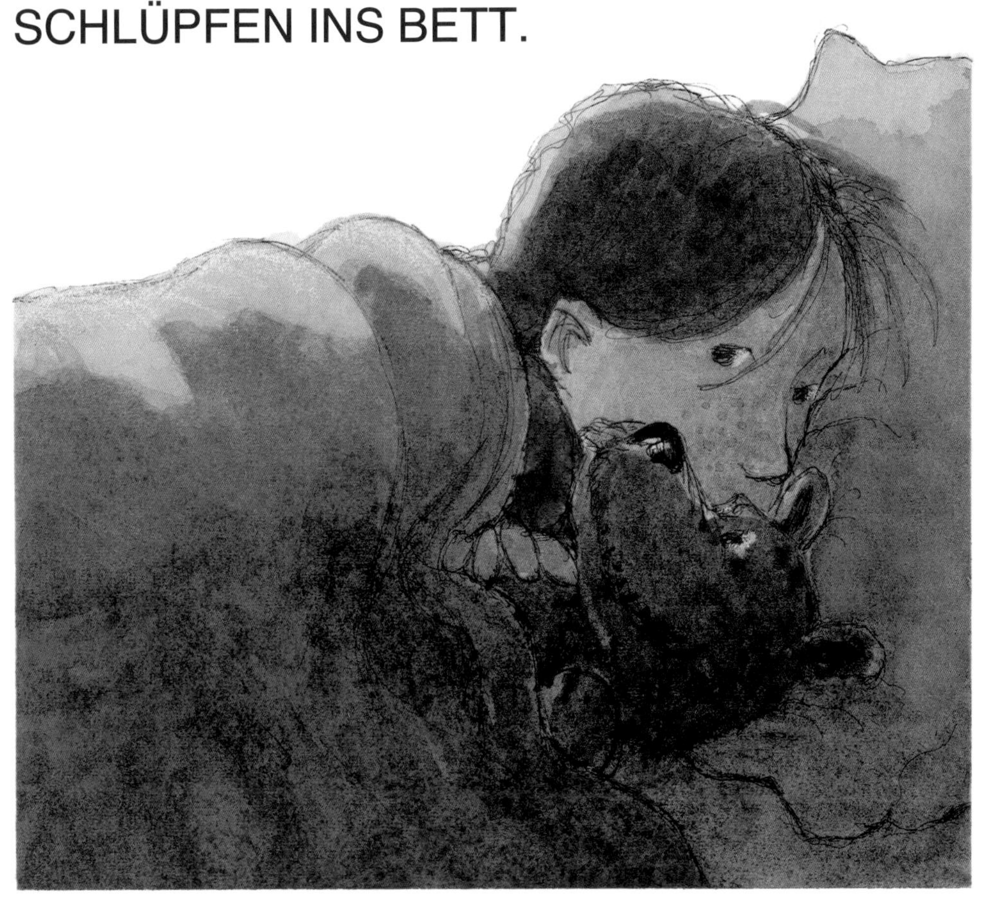

PAULA NIMMT TEDDY FEST IN DEN ARM.
SIE FLÜSTERT IHM INS OHR:
„GUT, DASS BEI UNS
AUF DEM DACHBODEN
SO EIN LIEBES GESPENST WOHNT!“

Kapitel 4

Leserabe Leserätsel

Rätsel 1

SELTSAM, SELTSAM

WELCHES WORT STIMMT? KREUZE AN!

AUF DEM DACHBODEN IST ES

- ☒ DUNKEL
- ○ DINKEL
- ○ DUCKEL

KLEIDUNG TROCKNET AUF DER

- ○ LÄSCHEWEINE
- ☒ LEINEWÄSCHE
- ☒ WÄSCHELEINE

NACHTS UM ZWÖLF BEGINNT DIE

- ☒ GEISTERSTUNDE
- ○ GEISTERSTUNDA
- ○ GERSTERSTUNDE

Rätsel 2

ZAHLEN, ZAHLEN

FINDEST DU DIE RICHTIGE SEITE?
TRAGE DIE ZAHL EIN!

AUF SEITE ___ STEHT EIN MAL **ZEHENSPITZEN**.

AUF SEITE ___ STEHT ZWEI MAL **STUHL**.

AUF SEITE ___ STEHT ZWEI MAL **MAMA**.

KREUZ UND QUER

FÜLLE DIE KÄSTCHEN AUS!
SCHREIBE GROSSBUCHSTABEN

LÖSUNGEN:
RÄTSEL 1: DUNKEL, WÄSCHELEINE, GEISTERSTUNDE
RÄTSEL 2: 38, 5, 8
RÄTSEL 3: STUHL, TREPPE, SALAT, TRUHE, GESPENST

Rätsel 4

RÄTSEL FÜR DIE RABENPOST

FÜLLE DIE LÜCKEN AUS. TRAGE DIE BUCHSTABEN IN DIE RICHTIGEN KÄSTCHEN EIN. SO FINDEST DU DAS LÖSUNGSWORT FÜR DIE RABENPOST HERAUS!

ZUR GEISTERSTUNDE S P U K T[1] DAS GESPENST DURCHS HAUS. (SEITE 23)

DAS GESPENST WILL UM EINS INS B E[2] T T. (SEITE 36)

PAULA FLICKT DAS GESPENST MIT NADEL UND

. (SEITE 17)

AUF DEM DACHBODEN IST ES

. (SEITE 10)

Lösungswort:

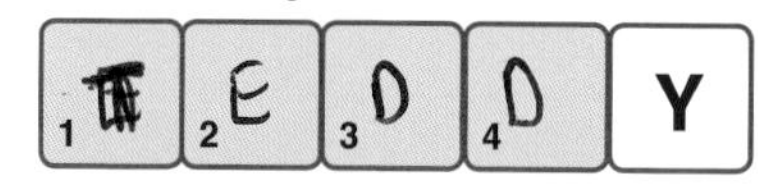

Rabenpost

HERZLICHEN GLÜCKWUNSCH!

DU HAST DAS GANZE BUCH GESCHAFFT
UND DIE RÄTSEL GELÖST, SUPER!!!

JETZT IST ES ZEIT FÜR DIE RABENPOST.
WENN DU DAS LÖSUNGSWORT AUF SEITE 42
HERAUSGEFUNDEN HAST, KANNST DU
TOLLE PREISE GEWINNEN!

▶ WWW.LESERABE.DE,

MAIL ES UNS ▶ LESERABE@RAVENSBURGER.DE

ODER SCHICK ES MIT DER POST.

Lösungswort:

T E D D Y

An
den LESERABEN
RABENPOST
Postfach 2007
88190 Ravensburg
Deutschland